아름다운 초저녁달

IN THE CLEAR MOONLIT DUSK

7

Mika Yamamori

IN THE CLEAR MOONLIT DUSK

CONTENTS

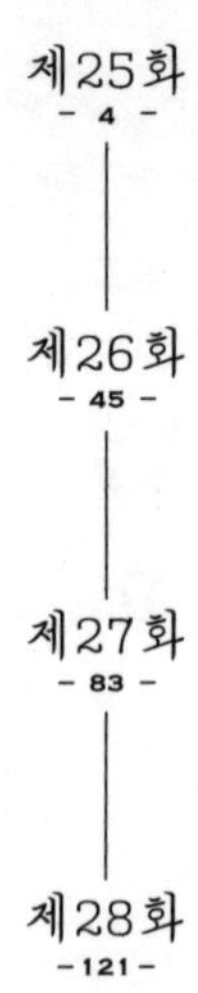

CHARACTER

타키구치 요이

고교 1학년. 용모 단정·스마트한 매너로「왕자님」이라 불린다. 이치무라 선배 때문에 당황하면서도 점차 끌리다 결국 시범 기간을 거쳐 사귀게 된다.

이치무라 코하쿠

고교 2학년. 학교의 또 다른「왕자님」. 꽃미남에 유복한 가정환경(?)으로 전교생에게 화제인 인기남. 요이에게 흥미를 보이다 시범 기간을 거쳐 사귀게 된다.

오오지 타쿠토

요이의 아빠가 운영하는 카레 전문점의 아르바이트생. 이름의 영향도 있고 해서 그 역시「왕자님」이라 불린다. 요이에게 호감을 갖고 있다.

토네 노바라 · 히비야 고토부키

요이의 동급생. 중학교 동창이기도 하다.

아카네 센타로 · 쿠와바타케 슈운

코하쿠의 동급생. 센타로는 상당한 카레 마니아.

요이의 아빠

카레 전문점 운영 중.

요시코

코하쿠의 소꿉친구. 요이의 아빠에게 첫눈에 반한다.

STORY

중학교 때부터「왕자님」이라 불렸던 여고생 요이는
자신에게 히로인은 어울리지 않는다 여기지만
어느 날, 학교에서 마찬가지로「왕자님」이라 불리는
이치무라 선배를 만난다.
처음엔 생각도 못 했던 감정의 변화에 당황하면서도
서로에게 끌리다 정식으로 사귀게 된 두 사람.
여름방학을 맞아 친구들과 함께 간 여행에서
두 사람은 서로에 대한 마음이 더욱 깊어지지만,
알바 동료인 오오지 군의 고백으로 인해 선배와 다투고 마는데…?!

제25화

아름다운 초저녁달

하아
하아
선배?

아름다운 초저녁달

요이 짱은
내 여자 친구
니까,
지금은
방해하기
없기.

휘익
아!
잠깐만,
저기,
선배?!
죄송해요,
문단속 좀
부탁할게요!
잠깐
저기

…….
하아아아아아
「요이 짱은 내 여자 친구니까.」
뭐야,
차인 주제에 미안해요, 좋아하네.
응
그런 모습을,

눈앞에서 보니,
싫어도 내 위치를 통감하게 된다.
…….
벌떡
찰싹
찰싹
…….
됐어.

돌아가서
러닝 10km
뛰어볼까.
저기!
잠깐만요,
선배!

어디 가는,
우뚝
거예!
앗,
끕!
아야야…
자.

이거.
…….

네?
어떤,
유명한 가게 디저트.

그리고, 이거랑 이거랑,
이것도.
휙
휙
휙
네?
잠깐.

저기!
이렇게 많은 과자를,
대체….

ト菓子

난,
여자아이와 싸워본 적이 없어서,
어떻게 사과하는지 잘 몰라.
그래서 조금이라도 승률을 높이려고,
단 거 잔뜩 사왔어.

…유치한 말로 상처 줘서 미안해.
내 입으로 그런 소리 해놓고선,
아까 그 녀석 옆에 있는 요이 짱을 보니,
…역시,
싫더라.

초조한 마음에 질투하고, 꼴사나운 모습을 보여 미안해.

이런 걸로
꾀는 것 같은
사과밖에
못 하지만.
이게
나의 최선이야.

그러니
내 옆에 있어,

요이 짱.

이렇게,

볼품없는 선배,
꾸깃꾸깃해진,
땀투성이에,
처음 봤어.

아니,
요이 씨~?
저기, 이런 거 정말 기쁘긴 한데,
지금 나 땀 엄청 났거든.
그까짓 땀,
나도 났어요…!

아까
그 과자들,

줄 서지 않고는
살 수 없는 것들.

그것도,
그것도,
전부 다.
그런 폼 안 나는 일을,
그저 내게 사과하기 위해.

정말
바보야.

…….
그런데!
으앗!
그 후로 꽤 진지하게 생각 했거든요!
그, 그래….
하지만 그런 거 생각한다고 알 수 있는 게 아니잖아요.
애초에 오오지 군과 함께 있을 때 제 표정이 어떤지도 모르겠고.
먼저 대시한 게 다른 사람이라면 어쩌고 해봤자 전 난감하기만 할 뿐이에요.
네, 다 옳으신 말씀입니다.

…그런데,
왠지,
이런 기분이
들게 하는 건
선배뿐이에요.
…남자에
익숙하지
않아서라거나,
처음
대시 받았기
때문이라거나,
그런 건 아무래도
상관없지 않나요?

마침 보이시한 제가 있고,
마침 거기에 선배가 있어서,
복도에서 우연히 부딪쳤고,
흥미를 갖고,
사랑을 하고,
그걸론 안 되나요?

그걸
「운명」이라고
부르면
안 되나요?

이크.

내가
해놓고선
죽을 것
같아.

…바,
방금,
입술….
응,
했어.

그도
그럴 것이,
그렇게
멋진 말을 하는데
어쩌겠어.

나도
요이 짱의
운명이 좋아.

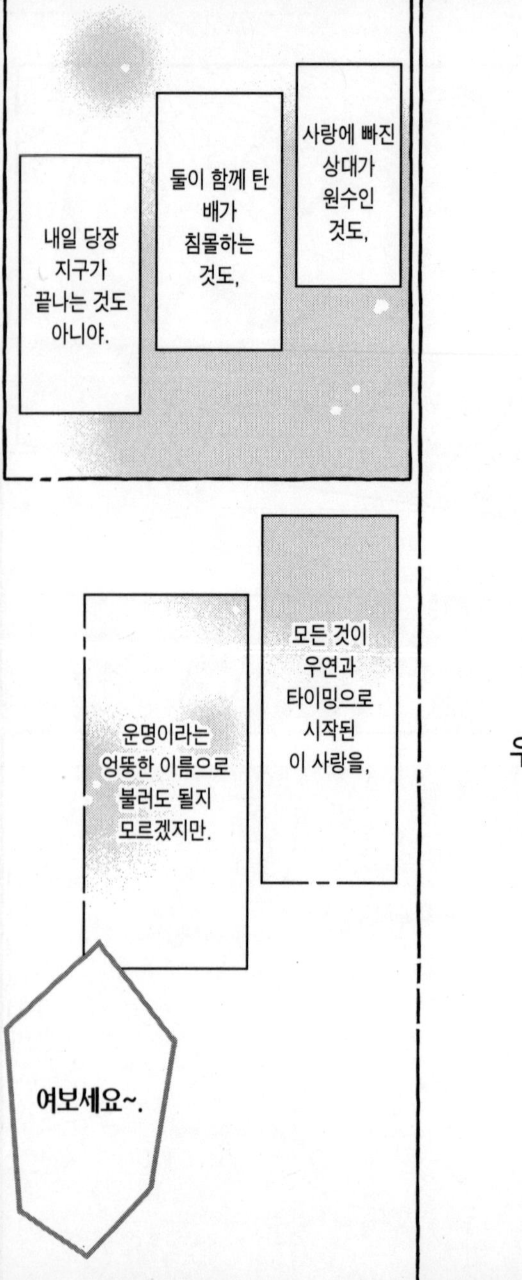
사랑에 빠진 상대가 원수인 것도,
둘이 함께 탄 배가 침몰하는 것도,
내일 당장 지구가 끝나는 것도 아니야.
모든 것이 우연과 타이밍으로 시작된 이 사랑을,
운명이라는 엉뚱한 이름으로 불러도 될지 모르겠지만.
여보세요~.

…네.

우리는,

만나서 반가워요, 요시코예요~♡
아,
안녕하세요….
어머~ 당신이 바로 그~♡

헤에~.
하아~.
X 요시코
당신이 그 사람 딸이구나~.
네?
어이, 기분 나쁜 소리 하지 마.
에헤헤, 미안~.
아, 그러고 보니 코하쿠한테 과자 받았어?
뜨끔

요시코, 많이 바쁘지? 그만 끊는다~.
잠깐만!
무서워라!
그 녀석~ 아침부터 디저트 유명한 가게 알려달라고 어찌나 성화던지.
그랬구나.
선배, 왠지 남자 친구들과 얘기하는 것 같아.
골래 골래

직접 만나지 못해 아쉽지만,
다음에 또 귀국하면 연락주세요.
저기,
둘 다… 의심해서 미안하네….

두그-읏
괜찮다면…,
뭔가 답례를 하고 싶어요.

툭
그냥 아버지와 함께 식사나 한번….
…아니, 답례는 무슨.
DNA인가?! 역시 그 아빠의 DNA라 취향 저격인 건가?!
뭐지, 이 심장 고동은!!
큭…!!
응, 괜찮아, 괜찮아.
정말인가.
앗,
그렇게 끊어도 되는 거예요??

일단 편의점에 들러도 돼?
두근
응?
…아니, 아무것도 아니에요.
…그런 걸 한 후에 자연스럽게 손을 잡다니….
아직도 다리가 후들거리는데….
가치관의 차이가 대단하다고나 할까….
난,

오늘의
사소한
다툼도,

공중에
날아다닌
많은 과자도,
살짝 땀이 밴
선배의 셔츠도,
큰 손도,
토라진 듯한
얼굴도,

선배의
입술
온도까지.

그럼에도
작고 소심한
내겐,

너무나 큰
사건이라,

오늘을
평생 잊지
못할 거야.

아름다운 초저녁달

제26화

처음
경험한
작은 다툼.

공중에
날아다닌
많은 과자들.

달빛에 비친
선배의
그 표정.

강가의
촉촉한
초록잎
내음.

나

선배와
키스
했다….
오~~,
안녕!
툭
노바라,
고토부키!
뭐야,
아침부터
멍~하니.
보나마나 또
선배 생각한 거
아니야~?
뜨끔
!
~~…!
아,
역시?
아니,
일전에
묘~하게 풀이
죽어 있던데
또 싸운 거
아닌가….
응?
응?

뭐~~!!
매점 가자,
응~,
선배와…,
키…,
스?!
아,
저기, 저기,
진,짜,로?!
……
……
끄덕

키스…,
어떤 느낌 이었어…?
뭐?
…아, 별로 기억 나진 않는데…,

눈앞이 깜빡깜빡 어질어질하고….
…마치,
마주 닿은 입술 끝부터 녹아버릴 것 같은 느낌,
이라고나 할까.

「남자 아이」의 맛이 났다.
펑
꺄악~ 요이 짱, 방금 야한 생각 했지?!
아, 아니야!
키스로 그 정도면 그 다음 단계에선 부정맥이라도 일으키는 거 아니야~?
여자들 신났네,

그런데,
그 덕분인지, 요이 짱 요즘 귀여워.
…「귀엽다」니,
응, 응, 맞아.
예전 요이 짱도 좋지만 지금의 요이 짱도 좋아~♡

……
고마워….
전의 내게 말했다면 아마,
실감이 나지 않았을 테지만,
지금은 자연스럽게 기쁜 마음으로 받아들일 수 있어.
아~아.

부럽다~.
혼자 척척 나아가고.
난 남친은 커녕 좋아하는 사람조차 없는데~.
응?
그치, 노바라?
…아~ 응,
그렇지, 뭐.
어라?
저 아이들,
응?
일전에.
지난번 선물에 대한 인사를 못 해서.
어머, 어머.
대박, 대박!
비주얼 우승~!!
툭
저기… 안녕.
요이 님?!
앗!!

그거 정말
기뻤어.
고마워.
심
쿵
무슨 그런!
당치도
않아요!!
기뻐해
주시다니
공열지극!!
평생 따를
거예요~.
스사.
저기.
그나저나
킹 포스터
봤어요!
저흰 꼭
요이 님한테
투표할
거예요!
…뭐?
킹…?

문화제 이벤트 제32회
King & Queen 결정
올해 킹과 퀸은 누가 될까.
또 작년이랑 똑같은 거 아니야?
아~ 난 누구한테 투표하지?
King
앗, 재 1학년 왕자님 이잖아?!
......
저 아이도 후보에 올랐지?
역시 후보다. 멋있어~.
타나카 료
1 - C
타키구치 요이
…아하.
문화제 이벤트 구나.
하긴 그럴 때가 되긴 했지.
…이거 멋대로 후보로 올리고 그러나 보네.
표를 많이 받으면 그렇게 되나 봐.
......
문화제 이벤트
Queen

사토 마고도
2 - B
이치무라 코하루
아.
역시나
이치무라 왕자님도
안정권에 들었네.
퀸이 어렵다는 건 알지만,
그렇다고,
킹 쪽 인 건….
이치무라 선배, 작년에 킹이었나 봐~.
뭐, 정말?!
문화제 이벤트 제32회 King & Queen 결정전
King
Queen
저 사진을 봐.
아….
…왠지,
분위기가 다른데.
응? 그래?
어디가?
으~음….
1학년 이치무라
작년
와,
짧은 머리다~.
어려 보여~.
…….
표현은 잘 못하겠는데, … 눈이 죽은 느낌?
뭐?!
그게 뭐야.
푸핫.
문화제 이벤트 제32회

Queen
헤~,
그거 고맙네.
Queen
아니, 그러니까 그냥 비유라고나 할까.
뒷담화?
그런 뜻이 뭔데?
아니, 제 말은 그런 뜻이 아니라….
선배!!
!
이크!

고….
아니,
뒷담화는
절대,
…….
어라?
응?
…….

저거 타키구치와 이치무라 왕자님??
소곤
왜지 친하게 얘기하는 것 같지 않아??
소곤
어떻게 된 거지??
앗
그런데 전부터 가끔 같이 있던 것 같기도?
소곤
뭐, 진짜??
덥석
저기, 이 사람 좀 빌릴게요.
응?
엑?
후닥!
왕자님이 저돌적일 때가 다 있네.
친구는 두고 가기냐~.
둘이 사라지는 게 더 수상해 보일 텐데.
어라?
2 - B
쿠와바타케 스오
이거 쿠와도 들어간 거 아니야??
…아, 정말이네.
잠깐만, 나는?!
난 없어?!
지금으로선 안 보여요~.
고토부키
말도 안 돼!!

문화제 이벤트 제32회
King & Queen 결
King
쿠와, 너까지 날 버리고 가기냐~!
아니, 아니, 그냥 운이라니까.
게다가 보나마나 표 하나 못 받고 꼴찌로 끝날 게 뻔해.
아, 그럼 제가 투표해 줄까요~?
어차피 W왕자님은 다른 사람들이 잔뜩 찍을 테니.
응?
…그럼 저도….
하핫,
고마워.
이것으로 2표 획득.
어!
뭐라?
쿠와 선배, 자세히 보니 레벨이 대박 높지 않아?
이거 BL로 치면 제일 인기 있는 캐릭터인데….
소곤
소곤

됐다!
여기라면 아무도 없을 거예요.
저기,

혹시 아직도 사귀는 거 비밀인 거야?
다,
당연하죠! 전에 교제에 대해서는 반년에서 1년에 걸쳐 서서히 주위에 알리는 걸로….
아~ 네, 네. 그랬죠, 그랬어요.

…게,
게다가 전 선배와 달리,
상층부 사람이 아니다 보니….
놀림을 받거나 너무 추켜세우면 싫을 것 같아서….
뭐??

그게 무슨 소리야~?
상층부? 아니, 그런 쓸데없는 생각을 한 거야??
엑?
쓸데 없는 게 아니라….
단둘
빈 교실
살짝 어두컴컴
읏!
읏!

이럴 수가!
나도 모르게
단둘이
됐잖아!!
그런데~,
요이 짱,
다른 사람 눈을
너무
의식하는 거
아니야?
누가 뭐라든
상관없잖아?
……
그…
렇긴,
한데요….
틀렸어.
자꾸
의식이
돼,
선배
쪽을,
……
볼 수
없어.
저기,

내 얘기
들고 있어?
왜 아까부터
눈을 피하는 거야?

파어어엉
……
죄송
해요!

…자꾸 키스가 …,
생각 나서.
…….
죄송해요.

요이 짱은,

정말 귀여워.
두근

두근
질끈
벅
벅
벅
벅
…부탁
인데,
응?

나 말고
다른 녀석한테
혹시라도
그런 모습
보이지 마.
더 이상
라이벌은
필요 없다고.
―
...아.
네...,
에....
웅웅―
이크.
미안,
센타로다.
응?
지금?
3층.
......

어라??
응?
아…
알았어,
지금 갈게.
미안.

농구부 고문이 찾는대.

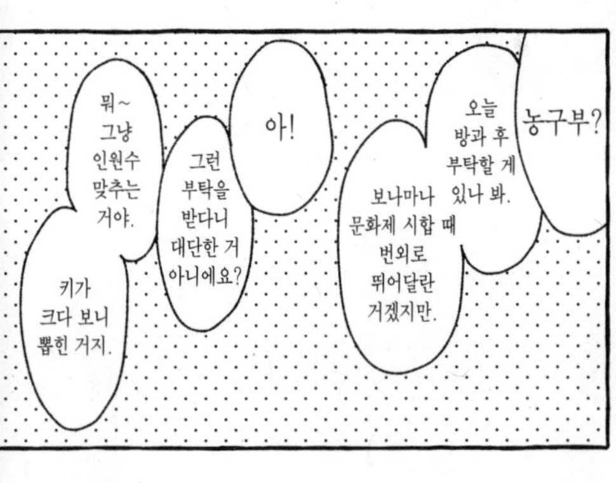
농구부?
오늘 방과 후 부탁할 게 있나 봐.
보나마나 문화제 시합 때 번외로 뛰어달란 거겠지만.
아!
그런 부탁을 받다니 대단한 거 아니에요?
뭐~ 그냥 인원수 맞추는 거야.
키가 크다 보니 뽑힌 거지.

그래서 오늘은 같이 갈 수 없는데 괜찮겠어?
네?
아, 네!
딩-동
댕-동
아,
이제 그만 가봐야겠다.
딩-동

그럼
무슨 일 있으면
연락해.
…….
……
왠지,
응.
너무
들뜬 것
같아,
나….
이렇게 해서
우리 반은
문화제 때
코스프레
사진관을
하기로
결정되었
습니다~.
코스프레 사진관
담당 의상
아~.
박수
~.
짝
짝
짝
짝

요이 짱, 요이 짱,
응?
담당 뭐 고를 거야~?
노바라는 미화위원에 입후보 했는데.
인싸 이벤트에는 절대 참가하고 싶지 않아.
으~음, 글쎄.
난 뒤에서 하는 일이면 뭐든….
저기,
타키구치, 홍보 맡아주지 않을래?
응?
타키구치는 외모가 되니 손님들이 많이 몰릴 거야~.
마침 작년 유니버설 재팬에서 산 조사병단 의상 있거든.
그거 입고….
잠깐만!!

왜 맘대로 정하는 거야!
엑?
타키구치라면 일단은 왕도 로코코풍 신사복이지!!
코스프레는 그 다음 이잖아!
앗! 잠깐만, 반칙이야!
난 타키구치가 스리피스 입으면 좋겠어!!
아! 난 중국옷 보고 싶은데!
유카타는 어때?!
저기,
엑?
잠깐만.

와글
와글
…나 혼자 골라야 하나.
그래야 겠다.

…히.
힘들어….
어둑
어라?
어느 샘가 시간이 이렇게….
어때
어때?
입던
입던
온갖 치수를 재고, 걸치고, 입히고….
요이 짱.
아.

그럼.
선배?
지금 가는 거야?
아, 네. 문화제 일로.
헤에~….
아, 미안. 먼저 가.
응~.
내일 보자~
같이 갈까?
저기.
…….
꺄하하
그런데~
그래서~.
대박~.
꺄하하하
응?
아, 네.
…계약서….
예스.
…아.
잠시 떨어져 걸을까.

우와, 벌써 가을이네~.
…나, 왜 계약서를 만들었을까.
아, 코스프레 사진관.
뭐야, 재밌겠다~.
선배 반은?
양아치 카페.
네? 불량배요?
맞아, 맞아.
요이 짱네는 문화제 때 뭐 해?
선배, 코스프레 해요?
아.
아니~ 난 싫어.
애초에 접객 체질도 아니고.

…하면
보러
갈 텐데.
무리야,
무리.

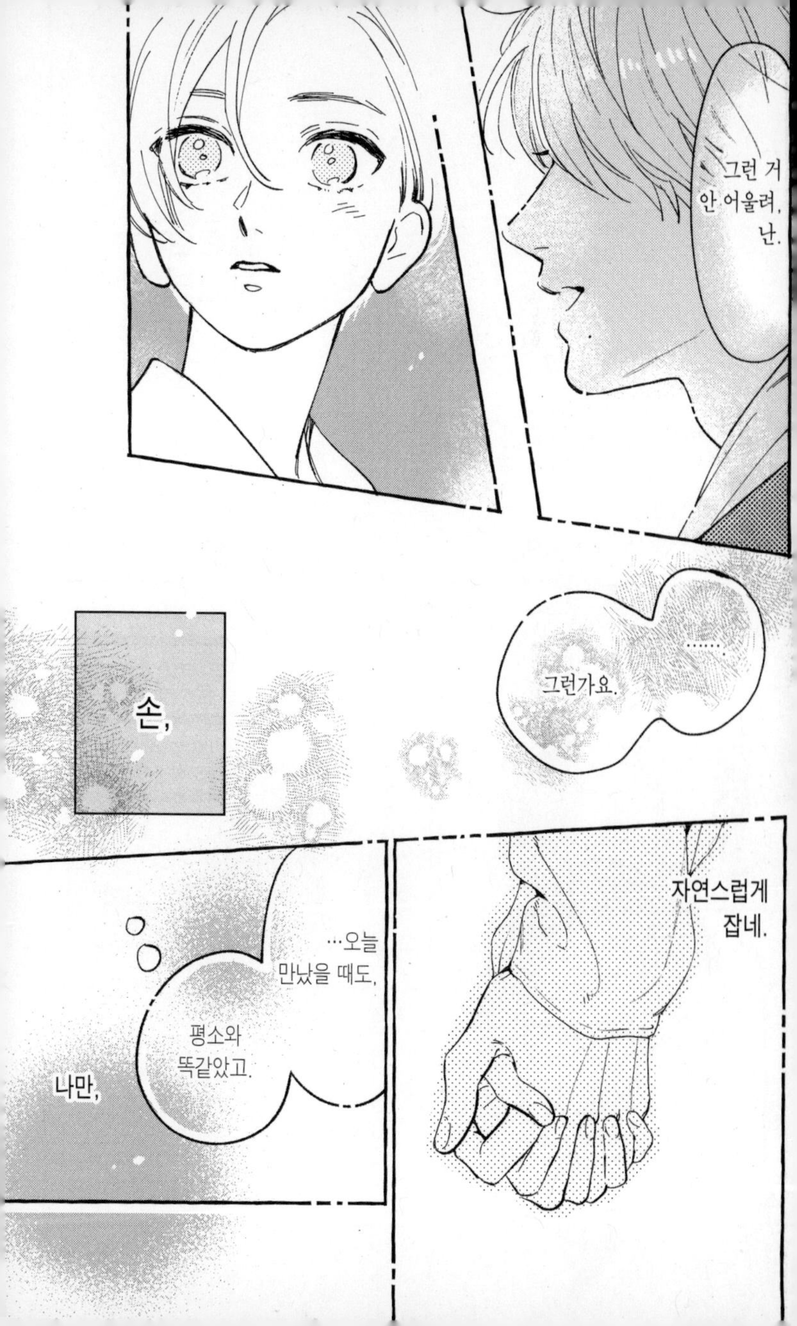
그런 거
안 어울려,
난.
……
그런가요.
손,
자연스럽게
잡네.
…오늘
만났을 때도,
평소와
똑같았고.
나만,

과잉
반응한 게
부끄러워.
아.
그럼 전
여기서.
오케이.
내일 보자.

…그때,
키스해
줬으면
좋았을
텐데…,
그러니,
…라며,
아주
조금,

아쉽다는
생각이
드는 건,
……
그저 나의
이기심이겠지.

분명
그럴 거야.

제27화

있잖아, 킹&퀸 틱톡 영상 봤어?!
응? 그게 뭔데?
아주 의욕이 넘치던데.
아, 이거야, 이거!
부디 깨끗한 한 표를!!
364
67
공유
당연히 내가 킹이지.
공유
엑?
아!
497
공유
자, 잘 부탁 드립니다.

난 특별한 한 사람이 뽑아주면 그걸로 만족이라~,
솔직히 별로 관심 없어요~.
거짓말~.
와하하 하하.
…….
이치무라 선배의 특별한 한 사람이 누굴까~?
아~ 이거 농담 아니야?
장난스럽잖아.
영 찜찜해 …!

애초에 이런 건
이런 식으로
쉽게 말하기 보단
직접 해주면
좋을 텐데~~~.
게다가
진지한 거라면
또 몰라도
이렇게 장난삼아
말하는 건 좀~?
그런 생각이
드는데~~~.
……
……
안 돼.

만족할 만도
한데,
뭐가 이렇게
걸리는 거지.

타키구치,
키 좀
재봐도 돼~?
네!
그렇게,

이거 어디에 두면 돼~?
문화제 준비 중입니다.
어~이, 페인트 부족한데~.
이제 여길 이렇게 해서~.
으~음,
백,
칠십,

점,
오.
엑?!
자…
자랐다
….
좋잖아.
넌 그래서
멋있는걸.
맞아, 맞아.
마음 같아선
키 좀 나눠주면
좋겠다~.
그,
그치만….
생김새도 애매하고
귀여운 옷도
안 어울리고….
우물 우물
어머,
타키구치,
그런 거
입고 싶었구나.
몰랐어!
머,
멋있는 옷은
물론
좋아하지만,
귀여운 옷도
웬만큼은….
우물 우물
헤에
~.
의외다
~.
그런데
이렇게 편하게
얘기하는 것도
처음 아니야??
아,
그러네요.
그러네요가
뭐야!
동갑끼리.
요~,
이~,
짱!
고토부키!

얏호~
놀러 왔어~.
아, 고토부키다.
빠져나와도 되는 거야?
괜찮아, 괜찮아.
그보다,
지금 잠깐 쉴 수 있어?
꺄
아

왕자님~!!
꺄아
멋있다~!!
꺄아
인기 장난 아니다.
정말 이네….
어라?

왕자님과 고토부키 짱.
뭐야? 이치 농구 보러 왔어?
고토부키 짱.
네~.
선배는?

응?
…어라?

난 심부름 다녀와서 한가해~.

…….
혹시,

선배…,
농구
잘하나…?
아!
눈치챘어??
맞아~,
저 녀석,
실은
운동
신경이
장난
아니야~,
생긴 건
저런데~,
얼굴은
상관없지
않나요?
크헤헤

그런데
머리까지
좋으니
열 받는다
이거지~,
엑?
너무
의외다…!
아니,
머리 좋고,
운동 잘하고,
부자고….
선배,
진짜 왕자님
이잖아!
이치는~,
설레

사실은
꽤 우수한데,
이치 형이
좀 더
우수하다 보니,
어려서부터
이런저런 비교를 당해
만사가
귀찮아졌나 봐~.

결국 농구도 중 2때 그만뒀어~.
그러고 보니,
전에 그런 말을 했던 것 같기도.
아아, 있어.
형이 하나.
선배와 나는,
어딘가 닮았는지도 몰라.
종류는 다르지만.
꺄아
꺄아
…이제 그만 갈까.
그래.
흘끗
꺄아
꺄아

아.
아.
!

…….
하핫…
…….
…전에도 이런 일이 있었지.
나라니까!
아니, 나한테 한 거야!!
우리야, 우리!!
바, 방금 나한테 한 거 맞지?!
꺄아
이럴 때 손도 마주 흔들 수 없다니.
…….
여기서 만나는 거지?
미술실
미화위원 집합장소
요이 짱?
정말이지 난 왜 계약서를 만든 걸까…!!

괜찮아, 괜찮아.
미화위원이야 마이너한 일이라 인싸가 있을 리 없다니까.
그럼~.
아니, 그런 걸 한다고~?
아,
정말?
우리 반에도 놀러 와.
드륵
……. 좋았어.
……. 윽!
벌써 아는 사이끼리 똘똘 뭉쳤네
이건 이거대로 이방인 느낌이 장난 아닌데….
살금~…
어라?

토네?
우연이네~. 토네도 미화위원?
아니, 여기 온 걸 보면 당연한 소린가.
……
솔직히 미화는 일거리가 적을 것 같아서 왔는데.
토네도?
……
네에.
…어라?
쿠와~.
아, 그럼 난 저쪽에 일행이 있어서.
자~,
다들 자리에 앉아라~.

일단 2인 1조 만들고~.
우린 셋이니 누구 한 사람 넣어서 묵찌빠 하자.
오케이.
타오카~.
여기 들어오지 않을래?
오케이, 좋아.
토네,
나랑 페어 하지 않을래?

…아,
…혹시 누구 약속한 사람 있어?
어, 없는데… 요.
아, 다행이다~.
우린 마침 한 사람이 남아서 토네 믿고 온 거야.
그러니,

잘 부탁해.

자~ 그럼 다들 짝은 정했니~?
……
어~이.
손님이 길을 헤매는 것 같아 잠시 마중 나갈 테니 테이블 세팅 좀 해줄래?
아.

알았어….
아.
아.
…아뿔싸.
죄송해요.
그럼 요이 씨,
부탁합니다.
아,
네.
나도 모르게
딴생각 했어.
오오지
군과는,

아직
왠지 모르게,
어색한 공기가
남아 있다.
……
저기.
엑?
아, 네!!
……
그렇게 놀랄 것 까지야…
아, 죄송해요. 그러려던 게 아닌데…!

마음을 다잡고
…생각해 봤는데,

이제 슬슬 이 공기,
그만하지 않을래요?

…이제 승산 없다는 건 아니까,
하다못해 전처럼 친구로 얘기하고 싶어요.
솔직히 내심 그 사람은 싫으니 헤어지면 좋겠다는 생각을 하긴 하지만.
네?
오, 오오지 군, 그런 말을 하는 사람이었군요.
까짓 거 이미 차였는데 속편하게 아무 말이나 하려고요.
그건 그거대로 재밌지만.
요이 씨야말로,
자신의 감정을 좀 더 드러내는 게 좋을 거예요.

요이 씨는 늘
수동적이랄까,
좀 더
욕심을 부려도
좋을 텐데
말이에요.

좀 더
자신감을
가져요.

그리고
최종적으로는
헤어지면
좋겠어요.

자신감,

이라….
그게 제일 어렵단 말이야…
저기~,
이 옷 쓸 수 있을까?
우~와, 굉장하다~!
니시고 교복?
응, 엄마 고교 시절 건데 빌려왔어~!
다른 학교 교복도 코스프레로는 신선하고 좋은데~!
일단 누가 입어 보지 않을래?
…그런데 누가?
…응?
오~!

그, 그래…?
이상 하지 않아?
그리고 단추를 너무 푼 것 같은데….
전혀!
살짝 예전 불량 소녀 느낌이 귀여워~!!
타키구치, 머리 기르면 좋을 텐데!
난 숱이 많고 직모라 머리를 기르면 우산 요괴처럼 되거든.
그게 뭐야,
뭐?
그래도 다행이다.
타키구치가 귀여운 차림 하고 싶대서 어떨까 했던 건데~.
어머~,
너무 좋다~!!
멋있어~!!

아,
물론
축제 당일은
왕자님
차림을
해줬으면
하지만,
꼬옥
꼬옥
꼬옥
…답례
예요.
응?
과자?
도라에몽
같다~.
이 차림,
「누군가
했어.」
「귀여운데.」
선배에게
보여주고
싶어.
뭐라고
할까.

「…너무 귀여워서 키스하고 싶다.」
왁~!
아무리 그래도 그건 아니야!
너무 뻔하잖아.
…아니,
사실은 있어요,
사심 (도치법).
…그래도 과도한 기대는 하지 말자,
응.
그저,

귀엽다고,
생각해 주면 좋겠어.
…저기,
잠깐 나갔다 올게요.

또 그 여자
아이들 있을까.
사귀는 거
들킬지도 몰라.
하지만,
차라리
들키는 게
나을지도 몰라.
…….
저기!

선배, 오늘,
몇 시에 끝나요…?

…아,
……
요이…, 짱???
그 머리… 어떻게 된 거야?? 게다가 교복도….
무, 문화제 때 입을 옷….
…이상,
한가요?
쿠웅!
… 아니, 오히려 최…
응?!
그 아이, 누구야?
이치 아는 사람?
저거 니시고 교복이잖아.

귀엽다~.
그런데 저 교복, 섹시하다~.
요네자와!
무섭다!
응?! 뭐야, 뭐. 내가 뭐라고 했는데?!
가자.
네?

들키면 안 되잖아.
그,

렁,
긴,
그딴 거 별로.
나 참…,
하지만,
그래도.
…저기!
이거.

…
걸치는 게
좋겠어.
앗
……!
빡
…괘,
괜찮아요….
……
…그나
저나.
아까도
말했지만,
사귀는 거
들키고 싶지 않으면
모두가 있는 곳에서
그런 말 안 하는 게
좋아.
그,
그건…,
그러니까
저기….
그리고,

…난
평소 차림이
더 좋은 것
같은데.
그렇죠.
…그
날은,
제대로
왕자님 차림
할 테니
걱정 말아요.
…그,

잠깐만, 타임.
방금 그 말은 그런 의미가….
시간 뺏어서 죄송합니다.
그럼,
갈게요.
그저,

귀엽다는,

그 한마디.

은근히 서글퍼요.

가발
벗은
거야~?
귀여웠는데
아깝다~.
…….

선배는 분명
좋아해 주는데,
내 감정이
더 크게
느껴지는 건,
왜지?
응?

이치잖아.
뭐야?
연습
끝났어?
째릿
스윽!

왜,
왜
그래?
왜
그러고
말고
간에…,
요네
자와
녀석~.
눈알을
확 파내고
기억을
지워버리고
싶어.
아니,
거기 있던
남자들 모두의
기억을….
뭐야,
무서운
소리
하네.

…….

진짜
귀여웠단 말이야.
아~~.
잘 안 되네…….

부글부글,

뭉게뭉게,

복잡한 감정을
질질·끈·채로,

제28화

어서
오세요~.
와글
고맙습니다~.
이거 하나
주세요.
와글
와글
와글
포테이토,
어떠세요?
코스프레 사진
타키구치
~.
이제 슬슬
메이크업
준비할 수
있겠어?

아,
네!
그렇게
해서,

문화제
당일.
2-A
welcome
문화제
3-C 개최
체육관에서

미안해요.
재료
나르는 걸
돕다 보니
정신없어서.
괜찮아,
괜찮아.
생각보다
손님이
많이 든 걸
어쩌겠어.
어라?

요이 짱, 여태 여기 있어도 괜찮아~?
아까 킹&퀸 리허설 있다고 방송에서 나오던데.
뭐!
특설 스테이지에 집합 하라고.
미안해요, 잠깐 갔다 올게요.
다녀 와~.
응~.
…타키구치, 오늘 많이 바빠 보이네.
… 그보다는,
일부러 바쁘게 다니는 느낌…?
출전하는 분들은 이쪽에 서주세요~.
출결 체크합니다~.

저기,
1학년
타키구치….
아,
여긴가?

아.
타키구치…
요이예요.
OK,
그럼
킹 쪽에
서주세요.
……
퀸은
맞은편에
서주세요.
왠지,
특별히
싸운 건
아니지만,
내심
어색한 건
왜일까.
…저기,

…오늘,
같이 구경 다니는 거 어떡할 거야?
네?
…저기,
같이 다녀도 괜찮아요?
괜찮냐니 뭐가?
…난 계속 그럴 생각이었는데.

…아,
알았어요….
시,
신난다~!
이럴 때 투명 망토가 있으면 좋을 텐데.
난 싫은데.
앗,
문제는 사귀는 걸 들키지 않고 어떻게 다니냐는 건데.
이치, 찾았다~.
이거 끝나고 시간 돼?! 시간 되지?!
으앗, 뭐야?

제발!
홍보 좀
도와줘!
뭐?
야마무라랑
나가타가
감기에 걸려
밖에 나갈 수가
없어~.
게다가 쿠와도
미화위원이라
하루 종일
바빠서
남자
홍보요원이
부족해!
제발!
미화
위원
아니,
아니,
아니,
그런 건
아무나
적당히
넣으면.
예쁘장한
녀석이
필요하단
말이야!
버럭!
제발~!!
호객
판다가
되어
줘~!
마음의
소리가
너무 샌다,
너무 새.
……
아니,
나도 중요한
일정이….
붕붕붕

바쁜 것 같은데
학급 일 도와주세요.
저도 해야 할 일이 있으니
괜찮아요.
응?
타키
구치~.
아,
네.
…….
어쩔 수
없잖아.

한창 바쁜데 무리해서 끌고 다니는 건 어른스럽지 못하고.

곤경에 처한 사람을 내버려 둘 수도 없고.

애초에 둘이 돌아다닐 방법도 없으니,

틀린 말을 한 건 아니야.

그래.

미화위원인데
회수할 쓰레기
있나요?
아,
잠깐만,
기다….
…려
주세요!
천천히
해~.
……
……
……
저기,
가연성
부스럭
주섬

그거… 본인 옷….
일 리 없지.
이 반창고도 은근히 불편해

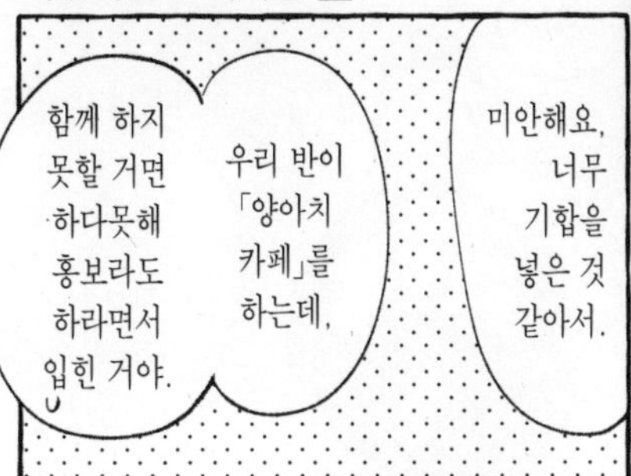
미안해요, 너무 기합을 넣은 것 같아서.
우리 반이 「양아치 카페」를 하는데,
함께 하지 못할 거면 하다못해 홍보라도 하라면서 입힌 거야.

양아치…
BL의 세계….
위에 이것밖에 걸칠 수 없어서 은근히 추워.
천도 얇고,

봐.
훌렁

…그거, 속에 아무것도 안 입은 거예요?
아, 응.
일단 붕대는 감았지만.

…저기,
그 붕대는 어떻게 한 거예요?
응?
천을 뒤집어 몇 번 둘둘 감았어.
헤에~, 호오~.
좀 더 자세히 봐도 될까요?
응? 그래.
오호 옳거니~
헤에~
아, 좀 더 봐도 될까요?
응? 으응
찰칵
찰칵
어머~,
좋네요~ 그 눈빛!

앗, 쑥스러워하지 말아요~. 시선은 한 번 더 이쪽으로 해줄래요?
아~ 좋아요~.
토네, 말투가 무라니시 같아졌어.
무라…? 그게 누군데요?
… 아니, 됐어.
난,
대체 뭘 하고 있는 거지…?!
아, 이제 입어도 돼요~.

…그나저나,
야호~
토네, 캐릭터 변화가 너무 심하잖아.

그래도 왕자들과 있을 땐 늘 이런 느낌이었으니,
지금까진 낯을 가렸던 건가.

뭐, 조금은 마음을 열었다는 뜻인가.

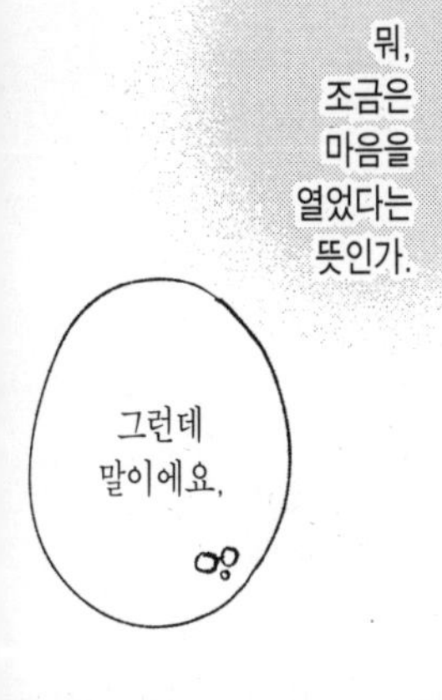
그런데 말이에요,
응

이렇게 보니 근육이 단단하게 잡힌 느낌이네요.
아니야, 힘 빼면 의외로 말랑말랑해.
헤에~.
자, 만져 봐.
이런 데.
맞지?
이렇게 힘을 빼면,

의외로 …….
아.
헤에 ~….
아,
이크!
미안! 아무 생각 없이 그만!
남자 몸을 많이 본 것 같아서 괜찮을 줄 알고….
아니, 이건 말이 좀 이상한가.
어쨌든 정말 미안해!
…

…완전,
오케이
예요…!

엑,
진짜?

아,
아이쿠야
~!
얼른
쓰레기
모아야
하는데!
착-
싹!
자,
가죠!
후다다닥
~
……
…이거,

사고
친 건가,
나….
우와~,
이건 그냥
성희롱
이잖아.

앞으로
계속 봐야 할
사인데…,
으~음.

어떻게
사과하지~.

「아,
토네던가?」
…….

일전에
미술시간에
그린 그림,
학교 현관에
걸리지 않았어?
…아니야.
아니야,
아니야,
아니야~!!

저기, 그거 알아?!
1학년 코스프레 사진관에 엄청 멋진 사람이 있대!
어머, 정말?
그래서 지금 사람이 잔뜩 몰려서 40분은 기다려야 한대!
와~ 그래도 한번 보고 싶다~!

코스프레
Menu
어서 오세요.

하아앙…
ⓒ諫山創/講談社

저기,
같이 사진 찍어 주실래요?
물론이죠, 좋아요.
원래 타키구치는 포함되지 않았는데,
이거 완전 팬 미팅이네,
가격을 올릴까,
수고했어~.
요이 짱, 정신없이 바빴다며?
고토부키.
계속 일하는 거야?
아… 그러려고.
딱히 할 일도 없고.
응?

선배는?
같이 구경 안 다녀??
아, 으응….
그쪽도 많이 바쁜 것 같은데,
그럴 때 불러내는 건 좀 그래서.
민폐가 될 테니 어쩔 수 없잖아.
……
요이 짱,
뭔가 무리하는 거 아니야?
무슨 근거로 그런 …,
설명할게! 요이 짱은 선배를 잊으려 할수록 왕자 파워가 강해지거든!
읏!

요이 짱 성격으로 봐서,
쉽게 어리광 부리거나 토라질 수 없다는 건 알지만,
최소한 선배 앞에선 솔직해야 하는 거 아니야?
「같이 있고 싶다」는 한마디 정도는 괜찮잖아.
그 말에 대한 답을 결정하는 건 선배이고.
그래도 안 된다면 나랑 같이 다니자.
뭐, 그럴 일은 없겠지만.

…너랑 다닐래.
그게 아니라니까!
나는 늘,
가장 솔직해야 할 사람 앞에서,
마음을 들키지 않으려 필사적이 되고 만다.
이~치~.

언제까지 잔뜩 부어 있을 거야~.
손님 맞을 때는 조심 해라~.
눼~ 눼~.
이치, 요즘 무슨 일 있어?
얼마 전 방과 후에도 좀 이상했는데.
지금 딱 왕자님과 밀월기 아니야?

나도 그렇게 생각했거든!
지금쯤 타코야키 파티 하면서 「아잉~ 이러니까 동거하는 것 같다♡」 떠들면서 타코야키도 굽고, 그러다 운 좋으면 꽁냥꽁냥, 므흐흣~ 해야 하는데.
어쩌다 이렇게 된 거야. 제길~.
아… 그럼 하면 되잖아.
그게 잘 안 된다고!
왜??

「일단 한번 손댔다간 내 이성이 붕괴될 것 같으니까.」
그렇지만 말이야.
그렇긴 하지만 설마 그렇게 대놓고 말할 줄은 몰랐지.
네가 말하게 했잖아.
그딴 소릴 진지한 얼굴로….
뭐?!
까아—
요이 짱 입장에선 내가 교제남 제1호인데,
내 욕구만 폭주시켜 요이 짱 마음을 상하게 하고 싶지 않아.

그런데 그 녀석! 단둘이 있을 때면 자기도 모르게 엄청 귀여운 얼굴을 한단 말이야. 대박 귀여운 차림도 하고~.
정말이지, 난 매번 이성과의 전쟁이라니까.
아아, 그때….
응
쉐

솔직

해지고 싶어.
솔직해지고 싶어.

서로를
사랑하면
할수록,

우리는
서툴러지고
만다.

늦게 온 킹 후보 2명, 도착이에요.
와,
완전 불량배.
네가 꾸물거린 탓이잖아.
쿠와, 너도 늦게 왔잖아.

앗, 귀엽다!
자랑질 이냐!
거기, 줄 서!
그럼 입장하도록 하겠습니다.
꺄아~!
와
꺄
파이팅~, 요이 짱!
고토부키.
노바라.
이제 온 거야?
수고 했어~.
같이 요이 짱 응원하자!
응.

…어라?
무슨 좋은 일이라도 있었어?
……
그럼 바로 한 명씩 질문하도록 하죠!
우선 전년도 퀸인 3학년 사토 씨.
와ㅡ
두근
두근
그거, 어울린다.

고,
...맙
습니다.
선배도
멋있어요.
우리 반 치안은
완전 최악일 것
같거든.
그런데
다들 웃으며
홍보하더라.
뭔가
얘기하고
있네
차림새는
불량배인데.
풋!
야,
거기
잡담
하지 마.
미안
해요~.
사토 씨,
감사합니다~.
짝짝짝짝
다행이다,
웃었다.

오늘,
같이 구경 다니고 싶었어요.

일전에,
체육관 갔을 때도,
응?

계약서 따위 아무래도 상관없다고,
모두에게 들켜도 좋다는 각오로 갔던 거예요.
마지막으로 사토 씨에게 큰 박수를!

교실에
단둘이 있던
그날도,
사실은
키스해줬으면
했어요.

자,
이제 다음 참가자로 넘어가 보죠!
지난 회 킹 2학년 이치무라 군입니다!

이치!
이치무라 군~??
응?
앞으로 나가! 너 부르잖아!
아니, 지금 그게 문제가 아니라….
빨리!

응?
단도직입적으로 올해 각오는?
아…,
글쎄요.
푸핫

아~ 그럼 좋아하는 음식은??
아~… 밥??인가?
웃긴다
…이치무라 군, 너무 대충 대답한다.
큭
큭
안절
부절
그런 건 아닌데.
아, 아직도 질문이 남았나요?
아하하하
…….
…그럼,

이번이
마지막
질문.
동영상에서
말했던
「특별한
한 사람」은,
정확히
누구인가요?

아, 혹시
말할 수 없으면
힌트라도….
…어라?
이치무라 군?

이걸로,

계약
파기다.

특별한
사람,

이 사람
이에요.
《제8권에 계속》

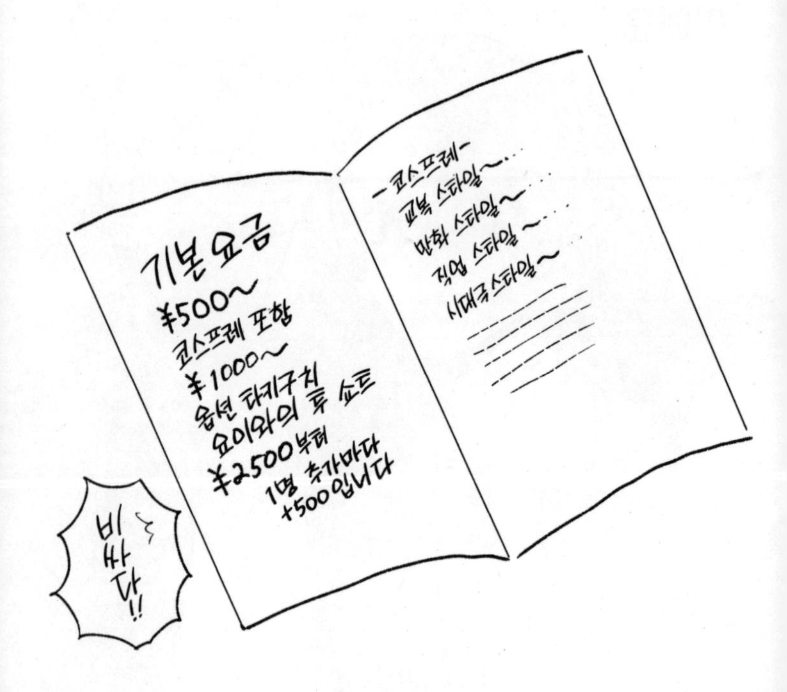
기본 요금
¥500~
코스프레 포함
¥1000~
옵션 타키구치
요이와의 투 쇼트
¥2500부터
1명 추가마다
+500입니다
-코스프레-
교복 스타일~
만화 스타일~
직업 스타일~
시대극 스타일~
비싸다!!

바가지급 가격 책정

이노시야마
시카타니
쵸노

아름다운 초저녁달 7권을
구매해 주셔서 감사합니다!

8권까지 조금 시간이 걸리겠지만
모쪼록 기다려주신다면 감사하겠습니다!

그럼 8권에서 또 만나요!

Special Thanx

유우 노조무 님, 키메 짱, 니지노 유카 님,
요네하라 에미 님, 시게루 씨, K바야시 님, 디저트 편집부,
인쇄소 여러분, 디자이너 카와타니 님, 독자 여러분

〈취재 협조〉
리세이샤 고등학교 관계자님.
시모기타자와 NASU OYAJI CURRY 관계자님.

아름다운 초저녁달

다음 권 예고입니다!
이 사람 이에요.
동영상에서 말했던 「특별한 한 사람」은,
정확히 누구인가요?
깜짝
문화제 무대에서 선배가
'교제' 공언?!!
두 사람을 구속하고
있던 것이 사라지자…
열애 가속?!!

아름다운 초저녁달 ⑧

많이 기대해 주세요!